JE ME SENS UN PEU FAÌBLE, PANORAMIX !...
NON, OBÉLIX !...TU N'AURAS PAS DE POTION MAGIQUE ! JE T'AI DIT MILLE FOIS QUE TU ÉTAIS TOMBÉ DEDANS ÉTANT PETIT !

GOSCINNY ET UDERZO
PRÉSENTENT
UNE AVENTURE D'ASTÉRIX

LE FILS D'ASTÉRIX

TEXTE ET DESSINS DE UDERZO

LES ÉDITIONS ALBERT RENÉ
81, AVENUE MARCEAU 75116 PARIS

Dépôt légal Octobre 1983 N° 011-2-01
I S B N 2 86497-011-2
Imprimé en Espagne par Printer Industria Gráfica sa Provenza, 388 Barcelona
Depósito legal: B. 15259-1983
Loi N° 49956 du 16 Juillet 1949 sur les publications destinées à la Jeunesse.

Astérix, le héros de ces aventures. Petit guerrier à l'esprit malin, à l'intelligence vive, toutes les missions périlleuses lui sont confiées sans hésitation. Astérix tire sa force surhumaine de la potion magique du druide Panoramix...

Obélix est l'inséparable ami d'Astérix. Livreur de menhirs de son état grand amateur de sangliers et de belles bagarres. Obélix est prêt à tout abandonner pour suivre Astérix dans une nouvelle aventure. Il est accompagné par Idéfix, le seul chien écologiste connu, qui hurle de désespoir quand on abat un arbre.

Panoramix, le druide vénérable du village, cueille le gui et prépare des potions magiques. Sa plus grande réussite est la potion qui donne une force surhumaine au consommateur. Mais Panoramix a d'autres recettes en réserve...

Assurancetourix, c'est le barde. Les opinions sur son talent sont partagées : lui, il trouve qu'il est génial, tous les autres pensent qu'il est innommable. Mais quand il ne dit rien, c'est un gai compagnon, fort apprécié...

Abraracourcix, enfin, est le chef de la tribu. Majestueux, courageux, ombrageux, le vieux guerrier est respecté par ses hommes, craint par ses ennemis. Abraracourcix ne craint qu'une chose : c'est que le ciel lui tombe sur la tête, mais comme il le dit lui-même : «C'est pas demain la veille!»

BELGIQVE
VILLAGE GAVLOIS
PETIBONVM
LAVDANVM
AQVARIVM
BABAORVM
LVTECE
SPQR
ARMORIQVE
GAVLE
(CONQVETE ROMAINE)
50 avant J.C.
CELTIQVE
AQVITAINE
PROVINCE ROMAINE
Nous sommes en 50 avant Jésus-Christ. Toute la Gaule est occupée par les Romains... Toute ? Non ! Un village peuplé d'irréductibles Gaulois résiste encore et toujours à l'envahisseur. Et la vie n'est pas facile pour les garnisons de légionnaires romains des camps retranchés de Babaorum, Aquarium, Laudanum et Petibonum...

...TROUBLÉES, MALGRÉ L'HEURE MATINALE, PAR LES RONFLEMENTS DU SEUL COQ GAULOIS QUI AIT DES VÉGÉTATIONS.

J'AI RÊVÉ QUE LES CIGOGNES ÉTAIENT PASSÉES SUR LE VILLAGE POUR Y DÉPOSER LES COMMANDES DE BÉBÉS ET QUE L'UNE D'ELLES AVAIT FAIT L'ERREUR D'EN DÉPOSER UN ICI!

MAIS... C'EST PAS VRAI !... C'EST UNE PLAISANTERIE !

OUiiiiiNNNNN!
OBÉLiiiiiX!
GRATT! GRATT!
?!

QU'EST-CE QUE C'EST ?
DEVINE !!!
OUiiiN!

AH ! TU VOIS QUE LES CIGOGNES LIVRENT ET PEUVENT SE TROMPER !
OUiiiiN!
OBÉLIX, TU M'AGACES ! AIDE-MOI PLUTÔT À CALMER CE BÉBÉ !
?

OUiiiiN!
IL A PEUT-ÊTRE FAIM ?
C'EST DOMMAGE ! J'AI FINI LE DERNIER SANGLIER HIER SOIR !

iiN!
LES BÉBÉS, ÇA BOIT DU LAIT JE CROIS !
JE SAIS OÙ EN TROUVER !

OUiiiiN!
QU'EST-CE QUE C'EST QUE CES CRIS ?
C'EST ASSURANCETOURIX LE BARDE QUI S'EXERCE ?

MAIS NON ! C'EST SEULEMENT UNE CIGOGNE QUI A FAIT UNE ERREUR DE LIVRAISON !
?

MEUEUH!
DING!
DING!
J'AI EMPRUNTÉ LA VACHE DE DÉBOITEMENDUMÉNIX EN ÉCHANGE D'UN MENHIR, ASTÉRIX!
?
OUIIIIN!

D'ACCORD! CE N'EST PAS LE MOMENT DE FAIRE DANS LE DÉTAIL. TIRE-LUI DU LAIT ET QU'ON EN FINISSE!

MEUUEUH!
PSSSS! PSSSS! ALLONS DÉPÊCHE-TOI! PSSSS! PSSSS!
OUIIIIN!
!

BON! JE VOIS QUE TU N'ES PAS PLUS DOUÉ AVEC LES VACHES QU'AVEC LES CIGOGNES! TIENS LE BÉBÉ, JE M'OCCUPE DU RESTE!

MAIS ... IL EST MOUILLÉ DE PARTOUT!
ET À QUI LA FAUTE?

PEU APRÈS...
OUIIIIN!
LE LAIT EST TIRÉ. TROUVE-MOI UN RÉCIPIENT QUI PUISSE SERVIR DE BIBERON PENDANT QUE JE M'OCCUPE DE LUI!

REGARDE MON ASTUCE, ASTÉRIX! UNE GOURDE COIFFÉE D'UNE TÉTINE!
AGA!
ET ELLE TE VA BIEN CETTE TÉTINE?

BOF!
TU VAS LUI DONNER À BOIRE PENDANT QUE JE RÉUNIS LE CONSEIL DU VILLAGE!

MAIS JE NE SAIS PAS COMMENT ON FAIT MOI!
ÇA NE FAIT RIEN. LUI, IL SAIT!
GA! GA!

J'AI L'IMPRESSION QUE LE MONDE ENTIER ME REGARDE EN RIANT!
GLOP!
GLOP!
GLOP!
HAARF!
HAARF!
HAARF!

JE COMPRENDS TON EMBARRAS, ASTÉRIX ! IL EST URGENT DE SAVOIR D'OÙ VIENT CET ENFANT ET À QUI IL APPARTIENT !

IL EST MALHEUREUSEMENT NOTOIRE QUE LES ENFANTS ABANDONNÉS SONT RETROUVÉS SUR L'AUTEL D'UN TEMPLE OU SUR LA PLACE D'UN VILLAGE.

AUSSI, QUAND UN BÉBÉ EST SCIEMMENT ABANDONNÉ DEVANT LA HUTTE D'UN GUERRIER CÉLIBATAIRE, CELA LAISSE SUPPOSER BIEN DES CHOSES !
DES CHOSES? QUELLES CHOSES?

EH! HO! ÇA VA PAS NON ?!
TOC! TOC! TOC!

PEUT-ÊTRE MÊME QUE MÔSSIEU ASTÉRIX N'AURA PAS DE DIFFICULTÉS POUR RETROUVER LA MÈRE DE CET ENFANT !
MAIS FAITES LA TAIRE OU J'EN FAIS UNE TERRINE DU CHEF, MOI !
RESTONS CALMES ! NE NOUS ÉNERVONS PAS !

Astérix ! ViENS ViTE !!!
C'EST OBÉLIX QUI M'APPELLE !!!

ASTÉRiiiiiiiX!
CETTE JOURNÉE AVAIT POURTANT BIEN COMMENCÉ !...
MEUUUUUH!
DiNG DiNG DiNG!

DINGDING
DING
ÎL PREND LA VACHE DE DÉBOITEMENDU--MÉNIX POUR UN HOCHET, ASTÉRIX!
?
MEUUUUUUH!
DING
DINGDING!
AGA, AGA!

PAR TOUTATIS! JE PARIE QUE TU LUI AS FAIT UN BIBERON DE LAIT AVEC UNE GOURDE ENCORE A MOITIÉ PLEINE DE POTION MAGIQUE!

EST-CE QUE ÇA N'EST PAS DANGEREUX POUR LUI, PANORAMIX ?
RASSURE-TOI! OBÉLIX EST LÀ POUR PROUVER QUE LA POTION MAGIQUE N'EST PAS CONTRE INDIQUÉE POUR LES ENFANTS!..

GA!
SPLATCH!
SAUF PEUT-ÊTRE POUR LEUR ENTOURAGE...
DIGUIDING!

TU SAIS QUE TU MÉRITERAIS UNE BONNE FESSÉE, TOI!
GA?

GNNNNIIIIIINNN!

AGA! HI HI HI!!!
HMFF!
BLAMM!

DÉCIDÉMENT, LES ENFANTS D'AUJOURD'HUI SONT TRÈS MAL ÉLEVÉS, ASTÉRIX!

JE RAMÈNE TA VACHE, DÉBOITEMENDUMÉNIX!
?!

MAIS À L'AVENIR, ARRANGE-TOI POUR QU'ELLE NE RESSEMBLE PAS À UN HOCHET! C'EST TRÈS DAN--GEREUX POUR LES ENFANTS!
???
????

Ô ABRARACOURCIX, QUE VA-T-ON FAIRE AVEC CET ENFANT?
COOOOT!

VOUS NE TROUVEZ PAS QUE VOUS EN AYEZ ASSEZ FAIT COMME ÇA?

NE TOUCHEZ PLUS À CET ENFANT AVEC VOS GROSSES PATTES! C'EST DE LA DOUCEUR D'UNE MAMAN DONT IL A BESOIN!

N'EST-CE PAS MON PETIT CHÉRUBIN?
GA?

POC!

?

TOI, SUIS-MOI!!! ET JE NE VEUX PLUS TE VOIR FRÉQUENTER DES INDIVIDUS QUI TRANSFORMENT TOUT CE QU'ILS APPRO--CHENT EN MONSTRUOSITÉ!
MAIS MIMINE...
?
COOOT!

J'AI L'IMPRESSION QUE CE BÉBÉ EST DÉJÀ DOUÉ D'UN CERTAIN BON SENS!
MAINTENANT LA QUESTION NE SE POSE PLUS, ASTÉRIX!
AGA!

IL VOUS A DÉFINITIVEMENT CHOISIS POUR SES PÈRES D'ADOPTION!

ASTÉRIX, OBÉLIX, VOUS AVEZ MAINTENANT LA LOURDE RESPONSABILITÉ TUTÉLAIRE DE CET ENFANT. SOYEZ VIGILANTS!
JE VAIS COMPOSER UNE ODE SUR LES HEUREUX FILS-PÈRES!
CHICHE!

IL S'EST ENDORMI ! ÇA N'EST PAS PLUS GROS QU'UN JEUNE MARCASSIN MAIS ÇA VOUS OCCUPE AUTANT QUE POUR TAILLER CINQUANTE MENHIRS !
JE ME DEMANDE QUI A PU AVOIR LE MONSTRUEUX COURAGE D'ABAN- -DONNER CET ENFANT !

OH, JE T'AI DIT ! ÇA NE PEUT ÊTRE QU'UNE CIGOGNE QUI...
CESSE DE ME PARLER DE TES CIGOGNES OU JE FAIS UN MALHEUR !

CHUUUT ! TU VAS LE RÉVEILLER ET APRÈS IL VA RÉCLAMER UNE VACHE POUR JOUER DU HOCHET !
AUSSI SI TU N'AVAIS PAS FAIT LA BÊTISE DE FAIRE UN BIBERON AVEC UNE GOURDE DE POTION MAGIQUE !

AUSSI, SI MÔSSIEU ASTÉRIX NE LAISSAIT PAS TRAÎNER SES GOURDES !
GOURDE TOI-MÊME !
TU SAIS CE QU'ELLE TE DIT LA GOURDE ?
OUAIS ! QU'ELLE EST PLEINE DE VIDE !
QUIIIN !
!
7A

QUIIIN !
EH VOILÀ. J'EN ÉTAIS SÛR !
JE CROIS QU'IL EST GRAND TEMPS DE NOUS METTRE EN CAMPAGNE AFIN DE RETROUVER LES PARENTS DE CE BÉBÉ !

ENFIN PEU APRÈS...
NOUS AVONS UN INDICE : LES LANGES ET LES COUVERTURES DU BÉBÉ SONT EN TISSU FINEMENT BRODÉ COMME IL Y EN A CHEZ LES RICHES FAMILLES ROMAINES...
ASTÉRIX, COMMENT ALLONS-NOUS RE- -CONNAÎTRE DES PARENTS QUI NE RECONNAISSENT PAS LEUR ENFANT ?

NOUS ALLONS DONC COMMENCER NOTRE ENQUÊTE DANS LES CAMPS ROMAINS QUI EN- -TOURENT LE VILLAGE !
CHIC ! CHIC ! CHIC ! J'ADORE FAIRE DES ENQUÊTES CHEZ LES ROMAINS !

IDÉFIX, PENDANT NOTRE ABSENCE, TU VEILLERAS SUR LE BÉBÉ ! DÉVORE TOUT CE QUI S'EN APPROCHE, COMPRIS ?
OUAH !
TU CROIS QU'IDÉFIX SERA À LA HAUTEUR DE LA TÂCHE ?

BIEN SÛR ! IL A DE L'EXPÉRIENCE, JE LUI AI APPRIS À GARDER DES MENHIRS !
!!!
7B

?!
AVE GAULOIS !

MOI, JULIUS ÉPINEDECACTUS, PRÉFET DES GAULES, JE SUIS ICI POUR ENQUÊTER SUR TOUT LE TERRITOIRE CONQUIS AFIN DE RECENSER LES HABITANTS DES VILLAGES GAULOIS !

ON T'A MAL RENSEIGNÉ, ROMAIN ! NOTRE VILLAGE RÉSISTE ENCORE ET TOUJOURS À L'ENVAHISSEUR !
ET PUIS ICI, LES ENQUÊTEURS, C'EST NOUS !

C'EST CE QU'ON VA VOIR !
LÉGIONNAIRES, À MON COMMANDEMENT !
NOTRE ENQUÊTE COMMENCE BIEN, ASTÉRIX !...
GLOU ! GLOU ! GLOU !
8A

PATCHAC !
SIGNA INFERRE ! PRAEGE ! CONCURSU ! AD GLADIOS ! INFESTIS PILIS ! *
* EN AVANT ! MARCHE ! PAS DE CHARGE ! AUX ARMES ! EN JOUE !

PIED À TERRE !
POC !

PUISQUE NOUS EN SOMMES À NOUS EN-QUÊTER, CONNAIS-TU DES PARENTS ROMAINS QUI ONT ABANDONNÉ LEUR ENFANT CHEZ ASTÉRIX ?
LAISSE, OBÉLIX ! ILS NE SONT PAS D'ICI, ÇA SE VOIT. ALLONS PLUTÔT AU CAMP DE PETIBONUM !
!!!

J'EN SAIS ASSEZ POUR RENTRER À CONDATE. *
8B
* RENNES

C'EST AMUSANT DE RENCONTRER ENFIN DES TROUPES FRAÎCHES !

?
?
OUAH !
OUAH !
OUAH !
OUAH !

MAIS C'EST LA VOIX D'IDÉFIX !
POURVU QU'IL NE SOIT RIEN ARRIVÉ AU BÉBÉ !
OUAH !
OUAH !
OUAH !
OUAH !

?!
GRRROUAH OUAH !
GA !

COMMENT A-T-IL FAIT POUR NOUS REJOINDRE SI VITE ?
AVEC LA RÉSERVE DE POTION QU'IL A ENCORE, RIEN D'ÉTONNANT !

ALORS, QUE FAIT-ON ASTÉRIX ?
BAH ! ON L'EMMÈNE ! APRÈS TOUT L'ENQUÊTE SERA PLUS SIMPLE AVEC LUI !

HI HI ! AGA !
TU REMARQUERAS QUE C'EST VERS MOI QU'IL A ACCOURU !
NORMAL ! IL A LA RECONNAISSANCE DU VENTRE !

JE NE VOIS PAS CE QUE MON VENTRE A DE RECONNAISSABLE !

VOILÀ PETIBONUM ! ALORS TU AS COMPRIS OBÉLIX ? POUR CETTE ENQUÊTE, IL FAUT DU TACT ET DU DOIGTÉ !
J'AI COMPRIS ! ON ENFONCE, ON DÉMOLIT, ET ENSUITE ON QUESTIONNE SANS TROP ASSOMMER LES GENS !

ALERTE !

CLAC !

J'AIME TON TACT ET TON DOIGTÉ, ASTÉRIX !

MOI AUSSI J'AI DU SAVOIR VIVRE. JE FRAPPE TOUJOURS AVANT D'ENTRER !
CRAC !
HI, HI ! ÇA !

MAIS QUE VOULEZ-VOUS À LA FIN ?
C'EST POUR UNE ENQUÊTE, NOUS NE FAISONS QUE PASSER !
PIF !
PAF !
C'EST PAS UNE RAISON POUR NOUS FAIRE TRÉPASSER !
10A

RECONNAIS-TU CET ENFANT ?
J'EN AI RECONNU QUATORZE QUI M'AT-TENDENT DANS LE LATIUM, MAIS JE SUIS À PEU PRÈS CERTAIN QUE CELUI-CI N'EST PAS À MOI !

VOYEZ PEUT-ÊTRE AU CAMP DE LAUDANUM !

MAIS AU CAMP DE LAUDANUM...

...COMME AU CAMP DE BABAORUM, L'ENQUÊTE PIÉTINE...
C'EST ÇA UN SONDAGE D'OPINION ?
10B

VOILÀ AQUARIUM, LE DERNIER CAMP RETRANCHÉ ROMAIN !

ET PEU APRÈS...
NOUS ENQUÊTONS POUR CONNAÎTRE CEUX QUI ONT ABANDONNÉ CET ENFANT ET VOUS ÊTES NOTRE DERNIÈRE CHANCE !
VOUS N'ÊTES SÛREMENT PAS LA NÔTRE !

JE CONNAIS UN ÉLÉMENT QUI POURRA PEUT-ÊTRE VOUS AIDER !

CE MATIN, NOUS AVONS EU LA VISITE D'UN PRÉFET QUI EST CHARGÉ DE RECENSER TOUS LES GAULOIS DES ENVIRONS !
ON CONNAÎT ! ET ALORS ?

EN FAIT, CE N'EST QU'UN PRÉTEXTE. CE PRÉFET M'A AVOUÉ QU'IL ÉTAIT CHARGÉ DE RECHERCHER UN ENFANT QUI POURRAIT BIEN ÊTRE CELUI-CI !

VITE, OBÉLIX ! IL FAUT RETROUVER CE PRÉFET !
TU VOIS, LES CAMPS ROMAINS, C'EST COMME LES POCHES. C'EST TOUJOURS DANS LA DERNIÈRE QU'ON TROUVE ENFIN CE QU'ON CHERCHAIT !

POUR QU'IL SOIT MIS AUTANT DE MOYENS À SA RECHERCHE, LE PETIT EST SÛREMENT ISSU D'UNE GRANDE ET PUISSANTE FAMILLE !
C'EST POUR ÇA QU'IL EST FORT ET LA POTION N'A RIEN À VOIR LÀ-DEDANS ! PAS VRAI FISTON ?
GA !

ATTENTION, J'ENTENDS DES VOIX !!!

LE PRÉFET AVAIT DIT: VOUS VERREZ, LE RECENSEMENT, C'EST FACILE ET SANS DANGER ! IL SUFFIT DE SAVOIR COMPTER !
COMPTER LES COUPS OUI !
EN TOUT CAS, IL NE FAUT PLUS COMPTER SUR MOI !
QUOD ERAT DEMONSTRANDUM !
TAIS-TOI ET BOITE !

LES GAULOIS!
DU CALME ROMAINS! NOUS VOU-LONS SEULEMENT PARLER À VOTRE CHEF LE PRÉFET ÉPINEDECACTUS!
TU NE BOUGES PAS D'ICI ET TU ES SAGE, HEIN!
GA?
GRRRR!

IL NOUS A LAISSÉ CHOIR COMME DE VIEILLES CALIGAE* ET IL EST PARTI PRÉCIPITAMMENT POUR CONDATE!
*CHAUSSURES ROMAINES

OH, OH! C'EST SÛREMENT LE BÉBÉ RECHERCHÉ PAR ÉPINEDECACTUS! SI JE LE LUI RAMÈNE, IL ME FERA AU MOINS COMME QUI DIRAIT, OPTIONE ET ME COUVRIRA D'OR!
POUR LE COMPTE DE QUI CE RECENSEMENT?

PAS POUR CÉSAR EN TOUT CAS! IL EST TROP OCCUPÉ PAR DES TROUBLES DU CÔTÉ DE LA GERMANIE SUPÉRIEURE!
PROFITONS-EN PENDANT QU'ILS PALABRENT, HÉ! HÉ! HÉ!

AU SECOURS!
?
?
12A

MAINTENANT C'EST UN ROMAIN QU'IL A CHOISI COMME HOCHET!
À MOIIIIIIIII!

PAF!
AGA!

TU SAIS QUE NOUS AVONS BEAUCOUP DE POINTS COMMUNS TOUS LES DEUX?
GA!

FUYONS!
MÊME LEURS ENFANTS SONT DOUÉS D'UNE FORCE SURHUMAINE!
ARGUMENTUM BACULINUM!
TAIS-TOI ET COURS!
12B

CEPENDANT, À CONDATE, DANS LE PALAIS DE LA PRÉFECTURE ROMAINE EN ARMORIQUE...
VITE! QUE L'ON DÉPÊCHE UN COURRIER POUR ROME !...
INUTILE, ÉPINEDECACTUS !

BRUTUS!?
EH OUI! J'ARRIVE SPÉCIALE-MENT DE ROME POUR AVOIR DES NOUVELLES FRAÎCHES DE NOTRE AFFAIRE !

À VOIR TA TENUE NÉGLIGÉE, IL FAUT CROIRE QUE LE CONTACT AVEC LES BARBARES EST PLUTÔT NÉFASTE !
LE CONTACT DE LEURS POINGS, TU VEUX DIRE !... L'ENQUÊTE DONT TU M'AS CHARGÉ COMPORTE DES RISQUES !

AS-TU RETROUVÉ L'ENFANT ?
JUSTEMENT ! IL EST DANS UN PETIT VILLAGE DE LA CÔTE SEPTENTRIONALE MAIS IL EST FAROUCHE-MENT GARDÉ PAR DEUX GAULOIS QUI M'ONT APLATI TOUTE UNE ESCOUADE !

HUM ! CÉSAR M'A SOUVENT PARLÉ D'UN VILLAGE D'IRRÉDUCTIBLES UN PEU FOUS QUI TIRENT LEUR FORCE D'UNE POTION MAGIQUE !
13A

MAIS J'AURAI CET ENFANT DUSSÉ-JE BRÛLER LA GAULE ENTIÈRE !!!

HEUREUSEMENT, ASSEZ LOIN DE LÀ...
ALLEZ FISTON ! VA TE DÉGOURDIR LES JAMBES !
GA !

REGARDE ASTÉRIX ! IL RECONNAIT DÉJÀ SA MAISON !

?!
BANG!
?!

C'EST TOUT À FAIT MOI À SON ÂGE !
JE ME DEMANDE SI NOUS SOMMES UN BON EXEMPLE POUR CET ENFANT ?
AGA !
13B

PLUS TARD...
LA PORTE EST RÉPARÉE, LE PETIT S'EST ENDORMI ET IDÉFIX MONTE LA GARDE. PROFITONS-EN POUR ALLER RENDRE COMPTE DE LA SITUATION À NOTRE CHEF ABRARACOURCIX !
C'EST QUE JE DOIS LIVRER UN MENHIR À DÉBOITEMENDUMÉNIX...

ET CETTE LIVRAISON NE PEUT PAS ATTENDRE ?
CHEZ MOI, LES MENHIRS SONT GARANTIS DU JOUR ET LIVRÉS TOUJOURS FRAIS !

...LES ROMAINS SAVENT DONC QUE LE BÉBÉ EST ICI ET LEUR SIMULACRE DE RECEN--SEMENT LAISSE À PENSER QUE LEURS INTENTIONS NE SONT PAS TRÈS PURES !
CELA NE RÉPOND TOUJOURS PAS À LA QUESTION : POURQUOI A-T-ON CHOISI NOTRE VILLAGE POUR Y DÉPOSER CET ENFANT ?
JE CROIS CONNAÎTRE LA RÉPONSE !

CET ENFANT DEMANDE SÛREMENT À ÊTRE PROTÉGÉ DES ROMAINS ET SEUL NOTRE VILLAGE EST UN LIEU D'ASILE OÙ LES ARMÉES DE CÉSAR N'OSERONT JAMAIS PÉNÉTRER !
14A

BRAOUM !
?
?

DIS ASTÉRIX ! PUISQUE JE VAIS CHEZ DÉBOITEMENDU--MENIX, VEUX-TU QUE JE RAMÈNE UNE VACHE POUR NOURRIR LE FISTON ?

OBÉLIX, MON GARÇON, QUAND TU VIENS CHEZ MOI, J'AIMERAIS QUE TU LAISSES TON MENHIR À LA PORTE !
MAIS CHEF, LE MENHIR SE PORTE AUSSI BIEN À L'INTÉRIEUR QU'À L'EXTÉRIEUR !

SAUF QUAND LA PORTE EST TROP PETITE POUR LE FAIRE ENTRER, IMBÉCILE !!!
14B

IL EST DRÔLE ABRARACOURCIX ! C'EST DE MA FAUTE À MOI SI LES PORTES NE SONT PAS À LA HAUTEUR DE MES MENHIRS ?

J'APPORTE LE MENHIR EN PAIEMENT DE LA LOCATION DE TA VACHE, DÉBOITE-MENDUMENIX !
AH OUI-DA ! BEN PARLONS-EN ! MAIS QU'È QU'DONC QU'VOUS LUI AVEZ FAIT À C'TE PAUV'E BÊTE ? MAINTENANT, À CHAQUE FOIS QU'È VOIT UN GAMIN, V'LÀ-T-Y PAS QU'È VEUT GRIMPER AUX ARBRES !

IL VAUDRAIT PEUT-ÊTRE MIEUX QUE TU NOUS LIVRES TON LAIT AU DÉTAIL COMME JE TE LIVRE MES MENHIRS ! CELUI-CI JE LE METS OÙ ?
AVEC LES AUTRES, PARDI ! DANS L'CHAMP D'À CÔTÉ !

C'EST BEAU ! MAIS DIS MOI, ÇA SERT À QUOI UNE COLLECTION DE MENHIRS ?
A RIN, MAIS DAME, ICI L'TERRAIN N'EST POINT FAMEUX. ON DIT QUI N'Y A QU'LES CAILLOUX QUI POUSSENT, ALORS AUTANT FAIRE VOIR QU'C'EST POINT D'LA LÉGENDE ! *
* PLUS TARD, CETTE EXPLICATION SERA TRÈS CONTROVERSÉE.
15A

PEU APRÈS...
À L'AVENIR, QUAND NOUS DEVRONS NOUS ABSENTER, IL SERAIT PEUT-ÊTRE PLUS PRUDENT QUE L'UN D'ENTRE NOUS RESTE POUR SURVEILLER L'ENFANT, OBÉLIX !
AH OUI ? ET QUI PAR EXEMPLE ?

TOI, PAR EXEMPLE !
ET POURQUOI MOI, PAR EXEMPLE ?

PARCE QUE JE SERAI PLUS EFFICACE À RECHERCHER LES PARENTS DU PETIT, QUE TOI À CONSERVER LA FRAÎCHEUR DU MENHIR VOILÀ POUR L'EXEMPLE !

ÇA PAR EXEMPLE !??
15B

¡DÉFIX ET LE BÉBÉ ONT DISPARU!!!

C'ÉTAIT À PRÉVOIR ! VITE ! PARTONS À LEUR RECHERCHE !...
C'EST UNE HONTE !..

QUAND ON A UN ENFANT COMME CELUI-LÀ, ON L'ENFERME!!!
BEN, JUSTEMENT...

... COMPRENDS PAS ?! J'ÉTERNUE, J'OUVRE LES YEUX, ET VOILÀ !!
?
IL FAUT RETROUVER LE BÉBÉ AVANT QU'IL NE DÉFONCE TOUTES LES PORTES DU VILLAGE !!!
16A

ÇA Y EST, JE L'APERÇOIS ! IL EST DEVANT LA PORTE DE CHEZ PANORAMIX !
OUAH ! OUAH !

OUI, ENTREZ !
TOC !
OUAH GRRR OUAH !

?
?

?
OIIIINN!
HIR ! HIR ! HIR !

QUELQUE CHOSE NE VA PAS ASTÉRIX ?
SI, AU CONTRAIRE ! LES EFFETS DE LA POTION MAGIQUE ONT PRIS FIN CHEZ LE PETIT ! NOUS ALLONS ENFIN AVOIR LA PAIX !
OIIIINN!
HIRF ! HIRF ! HIRF !
16B

MAIS À CONDATE...
TU CONNAIS À PRÉSENT LE TERRIBLE SECRET DE LA NAIS-SANCE DE CET ENFANT, ÉPINEDECACTUS !

ET TU CONNAIS AUSSI LE NON MOINS TERRIBLE SECRET DE MES INTEN-TIONS ! GARE À TOI SI TU ME TRAHIS !
MOI? TE TRAHIR? D'ABORD, EST-CE QUE J'AI L'AIR D'UN TRAÎTRE ?

OUI ! MAIS JE N'AI PAS LE CHOIX ! AUSSI SI TU ME SERS BIEN, TU AURAS LA CHARGE SÉNATORIALE QUE TU CON-VOITES DEPUIS LONGTEMPS À ROME !
SI CE N'ÉTAIT DÉJÀ FAIT, JE VENDRAIS PÈRE ET MÈRE POUR MIEUX TE SERVIR, Ô BRUTUS, FILS DE CÉSAR !

FILS ADOPTIF SEULEMENT ET TOUT CE QUE JE TE DEMANDE, C'EST DE ME RAMENER L'ENFANT !
FLOP !
POUR ÇA, J'AI MON IDÉE !
17A

OUIIIINN !
DIS, ASTÉRIX ! SI JE LUI DONNAIS SEULEMENT UNE GOUTTE DE POTION MAGIQUE, PEUT-ÊTRE QUE...

NON! VOUS AVEZ FAIT ASSEZ DE BÊTISES TOUS LES DEUX!!!

ÇA VA, J'AI COMPRIS ! VIENS IDÉFIX ! APRÈS TOUT, NOUS NE SOMMES PAS CHEZ NOUS ICI !...
OUIIINN !
!

OUIIIN !
AH, ÇA ! MAIS... MAIS IL ME LAISSE TOMBER ! PAS FOU, HEIN ! MONSIEUR OBÉLIX !
17B

QUIIIN!
ALLONS OBÉLIX, NE FAIS PAS LA BÊTE ! OÙ VAS-TU ?
CHEZ NOUS, N'EST-CE PAS IDÉFIX ?

MAIS TU SAIS TRÈS BIEN QUE CHEZ MOI, C'EST CHEZ TOI !
C'EST TA MAISON ET JE SENS TRÈS BIEN QUAND JE DÉRANGE ! N'EN PARLONS PLUS !

IL FAUT M'EXCUSER, JE SUIS UN PEU ÉNERVÉ EN CE MOMENT MAIS J'AI BESOIN DE TON AIDE, OBÉLIX !
APRÈS TOUT, C'EST À TOI QUE CE BÉBÉ A ÉTÉ CONFIÉ !
CARRIÈRE OBÉLIX

ALORS, C'EST TON PROBLÈME !
!
VLAN!

ÇA VA ! J'AI COMPRIS ! TU CHERCHES UN PRÉTEXTE POUR TE DÉFILER !... TU SAIS CE QUE TU ES ?...
PFFF !...

UN GROS LÂCHE!
!!!

RÉPÈTE SI TU OSES!
TIENS, JE VAIS ME GÊNER !!
ALLONS, ALLONS LES ENFANTS !

N'AVEZ-VOUS PAS HONTE DE VOUS QUERELLER AINSI, VOUS, DEUX AMIS, DEUX FRÈRES ?!

PARDONNE-MOI, OBÉLIX ! JE NE PENSAIS PAS CE QUE JE DISAIS !
BOF ! TOUT ÇA C'EST DE MA FAUTE ! MAIS DIS, ASTÉRIX ...

C'EST VRAI QUE JE SUIS GROS ?...

MAIS NON, TU N'ES PAS GROS ! TU ES SEULEMENT UN PEU ENVELOPPÉ, C'EST TOUT, GROS B... GRAND BÊTA !...

Ô DRUIDE, IL FAUT FAIRE QUELQUE CHOSE. NOUS SOMMES DES GUERRIERS ET NOUS N'AVONS AUCUNE COMPÉTENCE POUR ÉLEVER CE BÉBÉ !
LA DIFFICULTÉ, C'EST QUE VOUS ÊTES LES SEULS QU'IL ACCEPTE DANS SON ENTOURAGE !

MAINTENANT QUE LES EFFETS DE LA POTION N'AGISSENT PLUS SUR LUI, NOUS POUVONS PEUT-ÊTRE LE METTRE SOUS LA GARDE D'UNE NOURRICE !
C'EST À TENTER !
EN ATTENDANT, IL NE PLEURE PLUS ! LE PIRE EST PASSÉ !

OU LE PIRE VA ARRIVER ! J'AI COMME UN PRESSENTIMENT !

AÏIIIIE ! PAR TOUTATIS, JE M'EN DOUTAIS ! IL EST ENCORE PARTI !

CE PETIT ENCOURT DES RISQUES. IL FAUT VITE LE RETROUVER !
IL N'Y A QU'À SUIVRE IDÉFIX !
SNIF ! SNIF !

HEUREUSEMENT QU'IDÉFIX EST MOINS BÊTE QU'UNE CIGOGNE !...
SNIF ! SNIF !

IL SEMBLE BIEN QUE LE BÉBÉ SOIT ENTRÉ CHEZ TOI, PANORAMIX !
SNIF ! SNIF !

ASTÉRIX ! LE PETIT EST TOMBÉ DANS LA MARMITE DE POTION MAGIQUE !
!
AÏE ! ÇA ME RAPPELLE QUELQUE CHOSE, ÇA !
OUAH ! OUAH !

IL NE RESTAIT QU'UN FOND DE MARMITE MAIS SUFFISAMMENT POUR QUE LES EFFETS DURENT PLUS LONGTEMPS !
TU SAIS QUE TU ME PLAIS, TOI !
EURK !
ET DIRE QUE JE REDOUTAIS SEULEMENT LE PIRE !

CEPENDANT, PAS TRÈS LOIN DU VILLAGE ...

PUISQUE NOUS DEVONS NOUS ÉTABLIR PRÈS DES IRRÉDUCTIBLES, POURQUOI NE PAS CHOISIR UN DES CAMPS RETRANCHÉS QUI ENTOURENT LEUR VILLAGE, MARCUS JUNIUS BRUTUS ?
CÉSAR POURRAIT EN ÊTRE INFORMÉ ET JE NE TIENS PAS À CE QU'IL S'INTERROGE SUR LES RAISONS DE MA PRÉSENCE EN ARMORIQUE !

HALTE ! NOUS MONTE-RONS LE CAMP ICI !!

ET UNE FOIS DE PLUS, NOUS ASSISTONS AU BEL ORDONNANCEMENT DE L'ARMÉE ROMAINE. ALORS QUE LES TERRASSIERS CREUSENT LA FOSSA (FOSSÉ) ET MONTENT L'AGGER (LEVÉE DE TERRE)...

... LES BÛCHERONS COUPENT LES ARBRES ...

... QUI SERVIRONT AUX CHARPENTIERS POUR MONTER LE VALLUM (PALISSADE)

LE CAMP ENFIN TERMINÉ, LE GÉNÉRAL ET SES TROUPES VONT Y PÉNÉTRER EN PARADANT, SYMBOLISANT AINSI, LA PUISSANCE DE L'ARMÉE ROMAINE LA MIEUX DISCIPLINÉE DU MONDE ...

?

... BIEN QUE QUELQUEFOIS ...
C'EST QUOI, ÇA ?
MA TENTE ! JE NE SUPPORTE PAS LES RONFLEMENTS DE MES VOISINS DE LIT !

VOICI TAXENSUS, LE LÉGIONNAIRE DONT JE T'AI PARLÉ, BRUTUS !
COMMENT SAIS-TU QUE NOUS RECHERCHONS UN ENFANT, TAXENSUS ?
J'AI COMME QUI DIRAIT ENTENDU LE PRÉFET EN PARLER AU CENTURION DU CAMP D'AQUARIUM ET IL A SUFFI D'UN RIEN POUR QUE, COMME QUI DIRAIT, JE VOUS RAMÈNE L'ENFANT, OUAIH MON GÉNÉRAL !
BONG

ET QUI T'EN A EMPÊCHÉ ?
BEN LUI PARDI ! IL M'A CONFONDU COMME QUI DIRAIT, AVEC UN HOCHET ET IL M'A BALANCÉ COMME QUI DIRAIT, AU-DESSUS DE SA TÊTE, OUAIH MON GÉNÉRAL !

TON LÉGIONNAIRE M'A TOUT L'AIR D'AVOIR REÇU UN COUP SUR LE CASSIS* !
IL N'EST PAS TRÈS FUTÉ MAIS IL PEUT NOUS ÊTRE UTILE !
* CASQUE DES LÉGIONNAIRES.

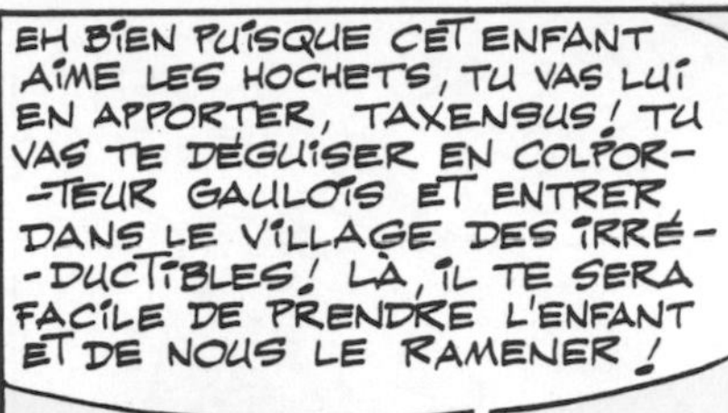
EH BIEN PUISQUE CET ENFANT AIME LES HOCHETS, TU VAS LUI EN APPORTER, TAXENSUS ! TU VAS TE DÉGUISER EN COLPOR-TEUR GAULOIS ET ENTRER DANS LE VILLAGE DES IRRÉ-DUCTIBLES ! LÀ, IL TE SERA FACILE DE PRENDRE L'ENFANT ET DE NOUS LE RAMENER !

SI TU ACCEPTES ET SI TU RÉUSSIS, JE TE FAIS OPTIONE !
ET SI, COMME QUI DIRAIT, JE REFUSE ?
21 A

ALORS TU DEVIENDRAS LE PLAT PRÉFÉRÉ DES LIONS DU CIRQUE
COMME QUI DIRAIT !

PLUS TARD...
TU N'AS PAS LU LA PANCARTE ? LES QUÊTEURS ET LES COLPORTEURS SONT INTERDITS À L'INTÉRIEUR DU CAMP !
POC !
LE DÉGUISE-MENT EST PARFAIT ! MÊME LA SENTINELLE S'Y EST LAISSÉE PRENDRE !

ET DIRE QUE JE ME SUIS ENGAGÉ DANS LA LÉGION, COMME QUI DIRAIT, POUR LE PRESTIGE DE L'UNIFORME !

ET ENCORE UN PEU PLUS TARD, À L'ENTRÉE DU VILLAGE D'ASTÉRIX...
PAF !
ALLEZ OUST ! LES QUÊTEURS ET LES COL-PORTEURS SONT INTERDITS DANS LE VILLAGE !
21 B

ENFIN GAU... ENFIN L'AMI ! JE NE VEUX DÉRANGER COMME QUI DIRAIT, PERSONNE ! JE NE VENDS QUE DES HOCHETS POUR LES PETITS ENFANTS !
DES HOCHETS DIS-TU ?

ALORS C'EST DIFFÉRENT ! VA DONC VOIR ASTÉRIX ! IL SERA HEUREUX DE T'EN PRENDRE AU MOINS UN !

TU TROUVERAS FACILEMENT SA HUTTE ; C'EST CELLE QUI A UNE PORTE DÉFONCÉE !

C'EST ICI CHEZ ASTÉRIX ?
NON, C'EST PLUS LOIN !
TOC ! TOC !

ASTÉRIX, C'EST ICI ?
NON, C'EST PLUS LOIN !
TOC ! TOC ! TOC !

CHEZ ASTÉRIX, C'EST PLUS LOIN ?
NON, C'EST ICI !
22A

QUI ES-TU ET QUE ME VEUX-TU, ÉTRANGER ?
JE M'APPELLE TAXESURLÉPRIX ET JE SUIS COMME QUI DIRAIT COLPORTEUR. ON M'A DIT QUE TU AVAIS BESOIN D'UN HOCHET !

OUIIN
SI ÇA PEUT LE CALMER, J'ACHÈTE TOUT LE STOCK !

OUII
LES ENFANTS ADORENT COMME QUI DIRAIT MES HOCHETS, TU VAS VOIR !

QUI C'EST-Y QUI VA BIEN S'AMUSER AVEC LE HOCHET DE PAPA TAXESURLÉPRIX ? HEIN ?
GRIITT ! GRIITT !! GRIITT !
?

U SECOURS !! A MOI !
GRIIIT !
GRIII
HI ! HI ! AGA !
BEN QUOI ? IL PRÉFÈRE LE COLPORTEUR DE HOCHETS PLUTÔT QUE LE HOCHET DU COLPORTEUR, C'EST TOUT !
GRIIT
GRIIT !
GRIIIT !
22B

PAF!

TU SAIS QUE CE N'EST PAS BEAU D'ABÎMER LES COLPORTEURS ?!
GA !
JE SUIS VRAIMENT DÉSOLÉ !
ÇA NE FAIT RIEN ! J'ADORE COMME QUI DIRAIT LES ENFANTS !

LE PROBLÈME RESTE ENTIER !... SI AU MOINS ON POUVAIT L'EMMENER AVEC NOUS À LA CHASSE AUX SANGLIERS SANS RISQUER DE LE VOIR ENSUITE ASSOMMER TOUS LES ANIMAUX DU VILLAGE !

TOI QUI VOYAGES BEAUCOUP, TAXESURLEPRIX, PEUT-ÊTRE CONNAIS-TU UNE NOURRICE ASSEZ RÉSISTANTE QUI ACCEPTERAIT DE LE PRENDRE EN CHARGE ?
POUR SÛR ! MAIS EN ATTENDANT, COMME QUI DIRAIT POUR VOUS RENDRE SERVICE, SI VOUS AVEZ À FAIRE, JE PEUX LE SURVEILLER.

TU CROIS QU'ON PEUT PRENDRE CE RISQUE, OBÉLIX ?
CELUI QUI PREND UN RISQUE, ICI, C'EST LE COLPORTEUR !
23A

C'EST BON MAIS VEILLE À CE QU'IL NE QUITTE PAS LA HUTTE ! NOUS SERONS VITE DE RETOUR !
JUSTE LE TEMPS D'ALLER CUEILLIR DEUX OU TROIS SANGLIERS POUR LE REPAS DE CE SOIR !

BANG! OUÏE! PAF! AÏE!
TOUT DE MÊME, CE COLPORTEUR EST BIEN BRAVE D'ACCEPTER DE SERVIR DE HOCHET POUR DISTRAIRE LE PETIT !

GA ?
JE ME DEMANDE SI JE N'AURAIS PAS MIEUX FAIT, COMME QUI DIRAIT, DE CHOISIR LES LIONS DU CIRQUE !

PLUS TARD...
IL S'EST ENFIN ENDORMI ! JE VAIS VITE L'EMPORTER AU CAMP AVANT QU'IL NE SE RÉVEILLE !
23B

AGA !...
!

AH, NON !!! ÇA NE VA PAS RE-COMMENCER !!

TANT PIS ! J'ABANDONNE !

MAIS... IL ME POURSUIT !!!

MAMAAAAAAAAN !
?
24 A

À L'AIIIIDE !

HOAHO !

HALTE !
J'AI DIT QUE LE CAMP ÉTAIT INTERDIT AUX QUÊTEURS ET AUX COL...

...PORTEURS !
PAF !
24 B

?!
ARRÊTEZ-LE! PROTÉGEZ-MOI!

TAXENSUS! DESCENDS, C'EST UN ORDRE!
NOOONNN! JE PRÉFÈRE ENCORE LE CIRQUE!

J'AI À PEINE EU LE TEMPS DE VOIR VOTRE PETIT PROTÉGÉ POURSUIVANT LE COLPORTEUR TELLEMENT EFFRAYÉ QU'IL EN AVAIT PERDU SES TRESSES ET SA MOUSTACHE!
!
!

VITE OBÉLIX, IL FAUT RETROUVER LE PETIT!
IDÉFIX A DÉJÀ FLAIRÉ SA PISTE!
SNIF! SNIF!

GARDE NOS SANGLIERS AU FRAIS, BELLODALIX, CE NE SERA PAS LONG!

CE COLPORTEUR N'EST PAS PLUS GAULOIS QUE MOI ROMAIN! IL ÉTAIT LÀ POUR ENLEVER L'ENFANT!
SNIF! SNIF!

C'EST CURIEUX CETTE INSISTANCE DES ROMAINS À VOULOIR S'APPRO-PRIER LE PETIT!
OUAIS! C'EST BIEN CE QUE JE PENSAIS!

QUOI?
ILS SONT FOUS CES ROMAINS!
TOC! TOC! TOC!

OBÉLIX, ÇA Y EST! IDÉFIX A RETROUVÉ LE PETIT!
ET ALORS? TU EN DOUTAIS?
OUAH! OUAH!

IL DORT PROFONDÉMENT! SURTOUT NE LE RÉVEILLONS PAS!
À MON AVIS, IL DIGÈRE LE COLPORTEUR!

TAXENSUS! UNE DERNIÈRE FOIS, DESCENDS OU JE FAIS ABATTRE LE MÂT!
JUREZ-MOI QUE LE PETIT MONSTRE N'EST PAS DANS LE CAMP!
JE LE SAVAIS BIEN MOI, QUE CE TYPE N'ÉTAIT PAS NORMAL!

ALLONS ! BOIS CE REMONTANT ET EXPLIQUE-NOUS TAXENSUS !
J'AVAIS COMME QUI DIRAIT LA CONFIANCE DES GAULOIS QUI M'AVAIENT CONFIÉ LA GARDE DE L'ENFANT...

PENDANT LEUR ABSENCE, J'AI VOULU L'EMPORTER, MAIS CE MONSTRE EST DOUÉ, COMME QUI DIRAIT, D'UNE FORCE SURHUMAINE ET CHAQUE FOIS QU'IL ME VOIT, C'EST UNE IDÉE FIXE, IL ME PREND POUR UN HOCHET...
VOILÀ QUE ÇA LE REPREND !

AU VILLAGE GAULOIS, ÇA LEUR POSE DES PROBLÈMES. ASTÉRIX LUI-MÊME M'A DEMANDÉ SI JE CONNAISSAIS UNE NOURRICE ROBUSTE ET VAILLANTE POUR LE SURVEILLER !
TIENS, TIENS !

JE CROIS AVOIR MÉRITÉ D'ÊTRE OPTIONE !
TU AS FAILLI À TA MISSION ! ALORS SOIS HEUREUX DE NE PAS ÊTRE AU MENU DES LIONS DU CIRQUE !

JE NE CONNAISSAIS PAS CE PAYS MAIS JE ME SOUVIENDRAI COMME QUI DIRAIT DE LA DÉCOUVERTE DE L'ARMORIQUE !

CETTE HISTOIRE DE NOURRICE ME DONNE UNE IDÉE ! POURQUOI NE PAS EN ENVOYER UNE NOUS-MÊMES AU VILLAGE GAULOIS ?
PAF !
PARCE QUE NOUS N'AVONS PAS ÇA DANS NOS EFFECTIFS !

SI... TOI !
QUOI MOI ?

RÉFLÉCHIS, ÉPINEDECACTUS ! L'AUTRE FOU EST DÉFINITIVEMENT GRILLÉ CHEZ LES GAULOIS ET NOUS DEVONS RESTER LES SEULS DANS LE SECRET. DE PLUS, SI TU TIENS VRAIMENT À CE POSTE DE SÉNATEUR...
PROMETS-MOI AU MOINS QUE PERSONNE NE SERA AU COURANT !

PLUS TARD...
AVE, BELLE ENFANT ! VOUS HABITEZ CHEZ VOS PARENTS ?

PAF !

PAR YUPITER ! F'EST UNE FACRÉE MATRONE !
ÇA MARCHE ! MÊME LA SENTINELLE S'Y EST LAISSÉ PRENDRE !

SALUT BELLE ENFANT ! VOUS HABITEZ CHEZ VOS PARENTS ?

OUAIS! ET TA SOEUR?

PAS TRÈS DISTINGUÉE MAIS PAR BÉLÉNOS, QUELLE VOIX !

QU'EST-CE QUE C'EST ENCORE QUE CELLE-LÀ ?
ELLE N'EST PAS DU VILLAGE, ÇA SE VOIT !
VOUS AVEZ VU CETTE DÉGAINE ?
JE TROUVE QU'ELLE A TRÈS MAUVAIS GENRE !
QUE VIENT-ELLE FAIRE ICI ?

(VOIX DE FAUSSET) PARDON MESDAMES ! POUVEZ-VOUS ME DIRE OÙ JE PEUX TROUVER ASTÉRIX LE GUERRIER ?

VOUS NE POUVEZ PAS VOUS TROMPER, C'EST CELUI QUI RÉPARE LA PORTE DE SA HUTTE, LÀ-BAS !

DE PLUS, IL EST PETIT AVEC DES MOUSTACHES JAUNES ! MAIS PEUT-ÊTRE LE CONNAISSEZ-VOUS ?
(VOIX DE FAUSSET) EUH, OUI... NON !... ENFIN MERCI !

VOUS PENSEZ À CE QUE JE PENSE, MES AMIES ?
PATATIPA TATAPATA TIPATAT
PATATIPATA TAPATATI
PATATAPATA TIPATATA PATATI...

(VOIX DE FAUSSET) C'EST VOUS ASTÉRIX ?
OUI, POURQUOI ?
PAN ! PAN ! PAN !

(VOIX DE FAUSSET) JE M'APPELLE ROSAÉPINE. J'AI APPRIS QUE VOUS CHERCHIEZ UNE GARDE D'ENFANT ET C'EST JUSTEMENT MA SPÉCIALITÉ !
?!

VOUS N'ÊTES PAS DU VILLAGE ! COMMENT SAVEZ-VOUS QUE JE CHERCHE UNE GARDE D'ENFANT ?
(VOIX DE FAUSSET) TOUT SE SAIT DANS LA LÉGION... JE VEUX DIRE DANS LA RÉGION, SURTOUT QUAND IL S'AGIT DU CÉLÈBRE ASTÉRIX, LE VALEUREUX GUERRIER !
!?

ET MOI ? LA RÉGION SAIT QUI JE SUIS, MOI ?
?

(VOIX DE FAUSSET) JE SUIS CERTAINE D'ÊTRE DEVANT OBÉLIX, LE BEAU ET SÉDUISANT PORTEUR DE MENHIRS !
BEUH, HEU ! COMMENT AVEZ-VOUS DEVINÉ ?

PEUT-ÊTRE SAVEZ-VOUS AUSSI QUE L'ENFANT À SURVEILLER EST... ASSEZ DIFFICILE ?
(VOIX DE FAUSSET) J'EN AI MATÉ DE PLUS... EUH, J'EN AI ÉLEVÉ CERTAINEMENT DE PLUS DIFFICILES !

ON PEUT TOUJOURS FAIRE UN ESSAI. ALLEZ-Y, MAIS JE VOUS AURAI PRÉVENUE !

C'EST CURIEUX, J'AI L'IMPRESSION D'AVOIR VU LA TÊTE DE CETTE GAULOISE QUELQUE PART !

PEUT-ÊTRE N'EST-ELLE PAS PLUS NOURRICE QUE L'AUTRE N'ÉTAIT COLPOR-TEUR. QU'EN PENSES-TU, OBÉLIX ?
EN TOUT CAS, C'EST SÛREMENT UNE FEMME DE GOÛT !

OUI EH BIEN, FEMME DE GOÛT OU PAS, MÉFIONS-NOUS !
TCHAC!

JE VOUS L'AVAIS DIT ! IL EST IMPOSSIBLE !
PAS DU TOUT ! CE N'ÉTAIT QU'UNE PRISE DE CONTACT !

JE VAIS TE ME LE MATER MOI, CET ENFANT DE !

CHLAC!
DIX CONTRE UN SUR LE PETIT !
ÇA MARCHE !

IL EST VAIN DE TENTER D'APPRIVOISER CE PETIT MONSTRE, CHÈRE MADAME !
(VOIX NORMALE) DE QUOI J'ME MÊLE ?
PAR MOMENT ELLE A LA VOIX QUI MUE, LA NOURRICE !

MAIS JE VOULAIS SEULEMENT...
RIEN DU TOUT ! ALLEZ DONC RÉCURER VOS MARMITES, VOUS !...

SPLATCH!
29A

ME DIRE ÇA, À MOI, LA FEMME DU CHEF !

VOYEZ-VOUS LA DIFFICULTÉ C'EST QUE LE PETIT A AVALÉ UN FOND DE MARMITE DE POTION MAGIQUE !
AH OUI, JE L'AURAI MÉRITÉE MA PLACE AU SÉNAT !...

VENEZ ! JE VAIS ESSAYER D'AMORTIR LA PRISE DE CONTACT !

REGARDE ROSAÉPINE COMME ELLE EST GENTILLE ! IL NE FAUT PAS FRAPPER ROSAÉPINE !

OUINN!
IL Y AVAIT LONGTEMPS !

TIENS, VOILÀ DU BOUDIN, VOILÀ DU BOUDIN, VOILÀ DU BOUDIN...
!
29B

TRAÎNE PAS LEGIONNAIRE...
LE PETIT A L'AIR D'APPRÉCIER !
LÀ, ON N'A PLUS LES MÊMES GOÛTS !

...PRENDS TON PILUM À LA MAIN MON COUSIN...
EN TOUT CAS, C'EST EFFICACE, IL S'EST ENDORMI !

...NOUS PARTONS EN GUERRE...
IL FAUT RECONNAÎTRE, ELLE EST SUPER LA NOURRICE !
J'AURAIS SEULEMENT SOUHAITÉ QU'ELLE CHANTE DES COMPTINES PLUS APPROPRIÉES !

...CONTRE LES GERMAINS...
C'EST UN SCANDALE !
30 A

QU'Y A-T-IL ASSURANCE--TOURIX ?
IL Y A QUE TU FAIS ENTRER UNE ÉTRANGÈRE DANS LE VILLAGE POUR CHANTER À MA PLACE, VOILÀ CE QU'IL Y A !

TU N'ES PAS NOURRICE QUE JE SACHE !
JE SUIS BARDE ET SEULS LES BARDES ONT LE DROIT DE CHANTER !

VOUS ME L'AVEZ RÉVEILLÉ ! VOUS NE POUVEZ PAS ALLER CRIER UN PEU PLUS LOIN ?
MADAME, JE N'AI PAS D'ORDRE À RECEVOIR D'UNE ÉTRANGÈRE !

ET JE CRIERAI ICI SI ÇA ME...

?

À MOI ! AU SECOURS !
IL N'AIME PAS LA VOIX D'ASSURANCETOURIX MÊME QUAND IL NE CHANTE PAS !
30 B

LES VOYEZ-VOUS, LES COHORTES, LES LÉGIONS, LA GARDE...
MOI JE NE TROUVE PAS ÇA MEILLEUR QU'ASSURANCETOURIX !
BARBARES ! TOUS DES BARBARES !!!
TU N'ENCHANTES PAS LE PETIT, TU VOIS BIEN !

PEU APRÈS...
IL S'EST À NOUVEAU ENDORMI ! VOUS POUVEZ VAQUER À VOS OCCUPATIONS MESSIEURS !
UNE QUESTION ! QUI VOUS A APPRIS CES CHANTS GUERRIERS ?

EUH !... C'EST SIMPLE ! LE MÉTIER DE NOURRICE NE NOURRIT PAS TOUJOURS SA FEMME ALORS J'AI SERVI UN TEMPS COMME CANTINIÈRE DANS LA LÉGION ROMAINE.

D'AILLEURS À CAUSE DE MON PREMIER MÉTIER, ON M'APPELAIT LA MAMELON DE LA LÉGION !
AH OUI, JE L'AURAI MÉRITÉE MA PLACE AU SÉNAT !

QUINN !
JE CROIS QU'ON VOUS DEMANDE, LA MAMELON !
31 A

QUAND MAMELON VIENT NOUS SERVIR À BOIRE...
VIENS OBÉLIX ! FUYONS VERS DES ENDROITS PLUS CALMES !

BRAVO MÔSSIEU ABRARACOURCIX ! C'EST DU PROPRE !
QUOI ? QU'EST-CE QUE J'AI ENCORE FAIT ?

TU ES LE CHEF DU VILLAGE ET TU PERMETS QU'UNE ÉTRANGÈRE VIVE SOUS LE TOIT D'UN CÉLIBATAIRE, BRAVO !
MAIS MIMINE, C'EST UNE NOURRICE POUR LE PETIT !

CETTE PROMISCUITÉ EST INTOLÉRABLE !

CETTE AVENTURE NE ME PLAÎT PAS BEAUCOUP, OBÉLIX !
BAH ! SOIS PATIENT ! DE TOUTE FAÇON, ÇA FINIRA PAR UN BANQUET SOUS LES ÉTOILES, COMME D'HABITUDE !
31B

JE VOUDRAIS TE DIRE DEUX MOTS, ASTÉRIX !
!

AVEC CETTE NOURRICE SOUS TON TOIT, ON COMMENCE À JASER DANS LE VILLAGE ! EUH !... NE POURRAIS-TU PAS HABITER AILLEURS, POUR QUELQUE TEMPS ?
LES RAGOTS DU VILLAGE M'INDIFFÈRENT MAIS AFIN DE NE PAS T'ÊTRE DÉSOBLIGEANT, JE SUIVRAI TON CONSEIL, Ô ABRARACOURCIX !

QUE FAITES-VOUS ?
JE DÉMÉNAGE ! SI VOUS AVEZ BESOIN DE MOI, JE SUIS CHEZ OBÉLIX !

CET IDIOT ME LAISSE LE CHAMP LIBRE. CETTE NUIT, QUAND TOUT LE VILLAGE DORMIRA, JE FILERAI AVEC L'ENFANT.

QUIN
C'EST NOUS LES BRAVES ROMAINS QUI ARRIVONS DE LOIN...
DANS LE FOND, EN CE MOMENT, ÇA M'ARRANGE PLUTÔT D'HABITER CHEZ OBÉLIX !
32 A

LA NUIT VENUE...
C'EST LE MOMENT ! TOUT LE MONDE DORT Y COMPRIS CELUI-CI !

QUINNN !

QUINN !
ALLOBROGES* VAILLANTS, DANS NOS VERTES CAMPAGNES...
* PEUPLE GAULOIS QUI HABITAIT LA SAVOIE ET LE DAUPHINÉ.

TU SAIS CE QU'ILS TE DISENT LES ALLOBROGES ?
SEULS LES BARDES ONT LE DROIT DE CHANTER !
IL APPELLE ÇA CHANTER !
MAIS FAITES LA TAIRE CETTE ÉTRANGÈRE !
JE VAIS TE ME LA MUSELER MOI !
RATÉ !
VOYONS MIMINE !
COCORICOOOOO
32ᴮ

LE LENDEMAIN MATIN ...
AH OUI, JE L'AURAI MÉRITÉE CETTE CHARGE DE SÉNATEUR !
GLOP!
GLOP!
GLOP!

S'IL N'Y AVAIT PAS LES EFFETS DE CETTE MAUDITE POTION, JE TE ME LE PRENDRAIS SOUS LE BRAS ET HOP !
EURK !

MAIS AU FAIT ! QUI SAIT SI CETTE POTION AGIT ENCORE SUR TOI, HEIN ?
AGA?

GA !
CLOC !

ÇA VA ?
COU CI COU ÇA ! LES EFFETS DE LA POTION MAGIQUE PEUVENT AGIR ENCORE LONGTEMPS ?

CELA DÉPEND ! SI NOUS PRENONS EXEMPLE SUR OBÉLIX, CELA PEUT DURER INDÉFINIMENT !

Aussi, UN PEU PLUS TARD...
JE NE VAIS TOUT DE MÊME PAS RESTER INDÉFINIMENT DANS CE VILLAGE DE MINABLES, DANS CET ACCOUTREMENT DE MINABLE ET DANS CE RÔLE DE MINABLE !...

TANT PIS, JE PRENDS LE RISQUE !

OÙ ALLEZ-VOUS BELLE ENFANT ?
EUH ! JE VAIS EN FORÊT CUEILLIR DES CHAMPI--GNONS !

?
OUINN !

FIERS ENFANTS DE LA ROMAINE...
?!

MAINTENANT QUE NOUS SOMMES HORS DE VUE DU VILLAGE...

...FILONS VITE AU CAMPEMENT !

OÙ VAS-TU, OBÉLIX ?
JE VAIS FAIRE UNE LIVRAISON CHEZ DÉBOITEMENDUMÉNIX ! C'EST QUE LE PETIT A BON APPÉTIT ET IL COÛTE CHER EN MENHIRS !

JE T'ACCOMPAGNE !
JE CROYAIS FAIRE DES ÉCONOMIES AVEC LA NOURRICE, MAIS CONTRAIREMENT AUX USAGES, ELLE NE FOURNIT PAS LA BOISSON !
34A

SI VOUS CHERCHEZ LA NOURRICE ET LE PETIT, ILS SONT PARTIS CUEILLIR DES CHAMPIGNONS DANS LA FORÊT !
?!

VITE OBÉLIX ! J'AI UN MAUVAIS PRESSENTIMENT !
GARDE MON MENHIR AU FRAIS, BELLODALIX ! NOUS NE SERONS PAS ABSENTS BIEN LONGTEMPS !
HUMPF !
SNIF ! SNIF !

OUF ! JE ME SENS PLUS LÉGER !

GA !
! ? !

TOI, SI JE T'ATTRAPE ESPÈCE DE
34B

!
TCHRiiiii!
TCHRiiiii

À MOIiiiiii!...
AU SECOURS!...

TCHOC!

NOOONNN! NE ME TOUCHE PLUS! LAISSE-MOI!!!
GA!
35A

MAMAN
N!

PEU APRÈS...
REGARDE LE PETIT MIGNON! IL S'EST ENCORE ENDORMI SOUS UN ARBRE!
OUAH! OUAH! OUAH!

VOICI LA PREUVE QUE LA NOURRICE N'EN ÉTAIT PAS UNE! NOUS AVONS ENCORE ÉTÉ BERNÉS COMME DE JEUNES MARCASSINS!

SI ON ALLAIT VOIR QUI C'ÉTAIT?! J'AIME-RAIS BIEN FAIRE ENCORE UNE ENQUÊTE CHEZ LES ROMAINS!
NOUS NE POUVONS PAS FAIRE COURIR DE RISQUES AU PETIT. D'AILLEURS LES ROMAINS VONT SÛREMENT PRÉPARER UNE NOUVELLE ASTUCE ET CETTE FOIS PAR TOUTATIS, NOUS SERONS PRÊTS À LES RECEVOIR!
35B

À MOiiiiiiiiii!

MAIS MOI, VE FUIS TOUT À...

...TOI!
SPLAC!

NE FAIS PAS L'IDIOT, ÉPINEDE-CACTUS! JE T'ORDONNE DE DESCENDRE!
JURE-MOI QU'IL N'EST PAS DANS LE CAMP!

TANT PIS! JE NE SERAI PAS SÉNATEUR, MAIS QU'ON NE ME PARLE PLUS JAMAIS DE CE MONSTRE!
ALLONS! NOUS AVONS PERDU UNE BATAILLE, PAS LA GUERRE!
36A

JE T'AVAIS DIT QUE S'IL LE FALLAIT, JE BRÛLERAIS LA GAULE ENTIÈRE...
EH BIEN BRÛLONS!!

ET AU CRÉPUSCULE...
QUELLE IDÉE DE NOUS ATTELER À DES BALISTES! C'EST UN TRAVAIL DE ROMAIN ÇA!
JUSTEMENT, DE QUOI TE PLAINS-TU?

TU VEUX VRAIMENT METTRE LE FEU À TOUTE LA GAULE, BRUTUS?
LE VILLAGE DES IRRÉDUCTIBLES ME SUFFIRA! LE CHAU-ME DES HUTTES GAULOISES BRÛLE VITE ET BIEN DIT-ON.

LES ROMAINS NOUS ONT DONNÉ LA PREUVE QU'ILS ÉTAIENT PLUS MALINS ET PLUS TENACES QUE D'HABI-TUDE!
NOUS DEVRONS DONC ÊTRE PLUS VIGILANTS!
ET AUSSI MOINS MÉDISANTS!
JE LE SAVAIS BIEN MOI, QUE CETTE NOURRICE, C'ÉTAIT DU BIDON!
36B

LA NUIT VENUE À MILLE PASSUS* DU VILLAGE...
ALORS TU AS COMPRIS ÉPINEDECACTUS ? JE TE LAISSE LE COMMANDEMENT ! À MON SIGNAL, TU DÉCLENCHES LE TIR !
* MILLE PAS = 1,472 MÈTRES.

UNE FLÈCHE ENFLAMMÉE ! C'EST LE SIGNAL !

À MON COMMANDE- -MENT...
37A

FEU!

37B
LES ROMAINS NOUS ATTAQUENT!!!
AU FEU!
À L'INCENDIE !
COCORICOOOO!

BONEMINE, TU VAS EMMENER LES FEMMES ET LES ENFANTS SUR LA PLAGE PENDANT QUE NOUS NOUS OCCUPERONS DES ROMAINS !
JE TE LE CONFIE ! JE SUIS SÛR QU'IL SERA SAGE !

TOUT LE MONDE EN RANGS, EN SILENCE ET PAS DE PANIQUE !

NON ?
NON !
GLOP GLOP GLOP
CETTE FOIS-CI, JE LUI TROUVE UN DRÔLE DE GOÛT !
PAS ÉTONNANT ! AVEC TOUT ÇA, ELLE A DÛ ATTACHER UN PEU !

MONTRONS AUX ROMAINS QUE NOUS NE SOMMES PAS ENCORE CUITS ! EN AVANT !
38A

EN AVANT !
LAISSEZ D'ABORD FAIRE LES ENQUÊTEURS ! PAS VRAI ASTÉRIX ?

NOUS VAINCRONS PARCE QUE NOUS SOMMES LES PLUS FORTS !

38B
TCHRAAACC !

PENDANT CE TEMPS...
ICI, NOUS SOMMES EN SÉCURITÉ !

DONNE-MOI CET ENFANT, MÉGÈRE!
?!

VIENS LE CHERCHER SI TU OSES !
OUAIH ! TU NE NOUS FAIS PAS PEUR, ROMAIN, NOUS AVONS BU NOTRE RATION DE POTION MAGIQUE !
AH BON ? MOI JE N'EN AI PAS EU !
CHUT ! TAIS-TOI !
39 A

MALHEUR! IL S'ÉCHAPPE!

LAISSONS FAIRE ! LE ROMAIN VA AVOIR UNE SURPRISE !

ALORS C'EST ÇA LE MONSTRE REDOUTABLE ?
PAR BELLISAMA ! LA POTION N'AGIT PLUS SUR LUI !!!
QUIIIN!

QUIIN!
AU NAVIRE, VITE !

PEU APRÈS...
TU ME JURES BIEN QUE NOUS NE RISQUONS PAS DE VOIR APPARAÎ-TRE CES GAULOIS FOUS ?!
ILS SONT BIEN TROP OCCUPÉS EN CE MOMENT !
39 B

EN EFFET ET À L'AUBE NAISSANTE...
COCORI...
HEUF! HEUF!

REGARDE ASTÉRIX, J'AI RETROUVÉ LE COLPORTEUR!
ET MOI, LA NOURRICE!
HEUREUSEMENT QUE NOUS SOMMES LES PLUS FORTS, SINON, QU'EST-CE QU'ON AURAIT PRIS!
PAF PAF PAF PAF PAF

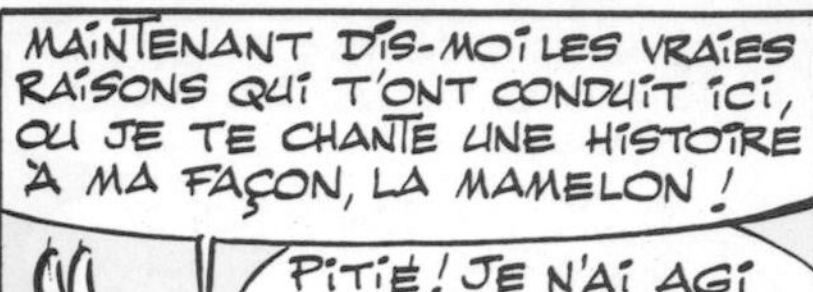
MAINTENANT DIS-MOI LES VRAIES RAISONS QUI T'ONT CONDUIT ICI, OU JE TE CHANTE UNE HISTOIRE À MA FAÇON, LA MAMELON!

PITIÉ! JE N'AI AGI QUE SUR L'ORDRE DE BRUTUS, LE FILS DE CÉSAR!

ET OÙ EST-IL CELUI-LÀ?
SUR LA PLAGE! IL SAVAIT QUE PAR SÉCURITÉ, VOUS Y METTRIEZ L'ENFANT!

VITE OBÉLIX, SUIS-MOI!
VITE IDÉFIX, SUIS-NOUS!
OUAH! OUAH!
40A

OÙ EST LE PETIT?
HÉLAS! JE NE MÉRITAIS PAS TA CONFIANCE ASTÉRIX! UN ROMAIN L'A ENLEVÉ ET EMBARQUÉ SUR UN NAVIRE PIRATE!

ON LE VOIT ENCORE À L'HORIZON, ASTÉRIX!
CROIS-TU POUVOIR LE REJOINDRE EN NAGEANT?

QUELQUEFOIS, IL T'ARRIVE DE POSER DES QUESTIONS ABSURDES ASTÉRIX!
EXCUSE-MOI, JE CROYAIS QUE...

MAIS BIEN SÛR QUE JE PEUX!

JE ME DEMANDE CE QUE JE FERAIS SANS TOI, OBÉLIX!
DES BÊTISES!
?
FLOP! FLOP! FLOP! FLOP! FLO
40B

NOUS SOMMES BIEN D'ACCORD SUR LE PRIX, ROMAIN ?
OUI, MAIS TU NE TOUCHERAS LA SOMME QU'UNE FOIS DÉBARQUÉS À BRIVATES PORTUS*
*BREST

C'EST D'ACCORD ! J'EN PROFITERAI D'AILLEURS POUR ALLER DIRE UN PETIT BONJOUR À BARBARA !

MAIS DIS-MOI, C'EST UN VRAI TRÉSOR CE MOUSSAILLON !
PLUS ENCORE QUE TU NE CROIS !

CORNES DE BOUC ! S'IL VAUT SI CHER QUE ÇA, J'AI BIEN ENVIE DE LE GARDER POUR MOI TOUT SEUL !

NAGEU'S À BABO'D!
?

DES NAGEURS ? COMBIEN SONT-ILS ET QUI SONT-ILS GARÇON ?

DEUX GAULOIS, DEUX!
!
41 A

MAIS ?!? POUR DEUX GAULOIS VOUS ABANDON-NEZ LE NAVIRE ?
TU NE NOUS CONNAIS PAS, TU NE NOUS A JAMAIS VUS ET NOUS SOMMES QUITTES, ROMAIN !

COUCOU!

AGA !
SI VOUS APPROCHEZ, JE FAIS UN MAUVAIS SORT À L'ENFANT !

HOUA iiiiE!
GRAAO!
41 B

C'EST CURIEUX, NOUS N'AVONS PAS VU LES PIRATES CETTE FOIS-CI !
OH, JE LES SOUPÇONNE DE NAGER QUELQUE PART DANS L'ALLÉGRESSE !

UNE, DEUX ! SOUQUONS FERME MATELOTS ! APRÈS TOUT NOUS NE SOMMES QU'À DEUX JOURS DE NAGE DE BRIVATES PORTUS !
NON LICET OMNIBUS ADIRE BRIVATUM !
'APPELLE-TOI BA'BA'A IL PLEUVAIT SANS CESSE SU' B'IVATES...

ENFIN PEU APRÈS...
J'ÉTAIS SÛR QU'ILS RÉUSSIRAIENT À RAMENER LE PETIT !
VIVE ASTÉRIX ! VIVE OBÉLIX ! VIVE IDÉFIX !
42A

AS-TU DÉCOUVERT LE SECRET DE LA NAISSANCE DE CET ENFANT ASTÉRIX ?
PAS ENCORE MAIS J'AI LA CLEF DE L'ÉNIGME !
QUE SE PASSE-T-IL ENCORE ICI ?

?!!
CÉSAR !

OUI BRUTUS ! J'ARRIVE TOUT DROIT DE LA GERMANIE SUPÉRIEURE OÙ MES ESPIONS M'ONT APPRIS TES FRASQUES !

AINSI TU DÉCIMES MES LÉGIONS UNIQUEMENT POUR RETROUVER UN ENFANT ! QUI EST CET ENFANT ? PARLE !
C'EST JUSTEMENT LA QUESTION QUE J'ALLAIS LUI POSER, JULES.

C'EST TON FILS, Ô CÉSAR !!
42B

43A
CLÉOPÂTRE !
?!
C'EST PRODIGIEUX ! QUEL SPECTACLE !
ET QUEL NEZ !

MON FILS ? CÉSARION ? MAIS JE VOUS CROYAIS TOUS DEUX À L'ABRI DANS MON PALAIS À ROME !
À L'ABRI DIS-TU ?

APRÈS TON DÉPART, BRUTUS, CE DÉVOYÉ SANS SCRUPULES, A TENTÉ PLUSIEURS FOIS DE FAIRE DISPARAÎTRE CÉSARION, AFIN D'ÊTRE LE SEUL HÉRITIER DE TES BIENS ET DE TA FORTUNE !

C'EST ALORS QUE J'AI EU L'IDÉE DE FAIRE METTRE NOTRE FILS À L'ABRI, DANS LE SEUL ENDROIT ENCORE APTE À ASSURER SA SÉCURITÉ : LE VILLAGE DES IRRÉDUCTIBLES GAULOIS QUI RÉSISTE ENCORE ET TOUJOURS À L'ENVAHISSEUR.
HUM ! OUI BON ! ÇA VA !

TU QUOQUE, FILI !* TU VAS PARTIR IMMÉDIATEMENT POUR LA GERMANIE SUPÉRIEURE. LE CLIMAT Y EST RUDE ET LES BARBARES T'APPRENDRONT LES BONNES MANIÈRES !
* TOI AUSSI MON FILS ! (CÉSAR SE RÉPÉTAIT QUELQUEFOIS.)

PARDONNE-MOI D'AVOIR ABUSÉ DE LA SITUATION, ASTÉRIX !
MAIS JE SUIS TRÈS HONORÉ DE TA CONFIANCE, Ô REINE CLÉOPÂTRE !

MAIS... LE PETIT A DISPARU !!
43B

OUAH ! OUAH !
IL S'EST ENCORE EN-DORMI AU PIED D'UN ARBRE !

IL EST COMME IDÉFIX, IL ADORE LES ARBRES ! C'EST BON SIGNE !
ALORS, JE LUI FERAI CONSTRUIRE DES ARBRES EN OR MASSIF !

REINE CLÉOPÂTRE ET TOI, CÉSAR, NOUS SOMMES DÉSOLÉS DE NE PAS POUVOIR CÉLÉBRER CHEZ NOUS ET AVEC VOUS CET HEUREUX ÉPILOGUE. NOTRE VILLAGE EST EN CENDRES !
ET NOTRE BANQUET FINAL ALORS ?

MES TROUPES DU GÉNIE RECONSTRUIRONT VOTRE VILLAGE, J'EN FAIS SERMENT !
QUANT À MOI, JE VOUS OFFRE UN BAN-QUET SUR MON NAVIRE ! C'EST BIEN LÀ MOINDRE DES CHOSES !
44 A

ET CONTRAIREMENT AUX SUPPOSITIONS D'OBÉLIX, C'EST SOUS LE BON SOLEIL D'ARMORIQUE ET SUR LA FASTUEUSE GALÈRE DE LA REINE CLÉOPÂTRE QUE LE BANQUET A ÉTÉ DRESSÉ. RIEN NE MANQUE, PAS MÊME LES SANGLIERS ET JULES CÉSAR LUI-MÊME Y PARTICIPE ; APRÈS TOUT, N'EST-IL PAS LE PÈRE DU JEUNE HÉROS QUI DORT SANS SE DOUTER QU'IL RÈGNERA PLUS TARD EN ÉGYPTE, SOUS LE NOM DE PTOLÉMÉE XVI-ème DU NOM.
... ALORS LES PETITES FLEURS, ELLES SE MARIENT GRÂCE AUX ABEILLES QUI BUTINENT LEUR POLLEN, TU COMPRENDS ?
ET LES CIGOGNES, SCRONTCH ! DANS TOUT ÇA ? SCRONTCH !
SCRONTCH ! SCRONTCH !
Fin
DE L'ÉPISODE
UDERZO 6.83

TCHAC!

ILS SONT FOUS
CES ROMAINS!